Edition Schott

Paul Hindemith
1895 – 1963

Trauermusik

Music of Mourning

für Streichorchester mit Solobratsche
(Violoncello oder Violine)
for String Orchestra with Solo Viola
(Violoncello or Violin)

(1936)

Klavierauszug von / Piano Reduction by
Franz Willms

ED 2515
ISMN 979-0-001-03797-6

Orchesterpartitur
ED 3514
Orchesterstimmen
ED 3171

www.schott-music.com

Mainz · London · Berlin · Madrid · New York · Paris · Prague · Tokyo · Toronto

Dieses Stück wurde am 21. Januar 1936 in London,
am Tage nach dem Tode König Georgs V. von England, geschrieben
und vom Englischen Rundfunk (BBC)
am 22. Januar in einem Gedächtniskonzert zum ersten Mal aufgeführt,
wobei der Komponist den Solopart spielte.

Spieldauer: 5—6 Minuten

Trauermusik

Music of Mourning

Paul Hindemith

cresc.
cresc.

vorangehen

Lebhafter

ritard.
a tempo
ritard
pp a tempo

Violoncello principale

Trauermusik

Music of Mourning

Paul Hindemith

Printed in Germany

ED 2515

III Lebhaft
3
ff
f

ritard.
ff

Langsam
mf

IV Choral „Für deinen Thron tret ich hiermit“
Sehr langsam
p
p

mf

f
pp
3

Violino principale

Trauermusik

Music of Mourning

Paul Hindemith

Printed in Germany

ED 2515

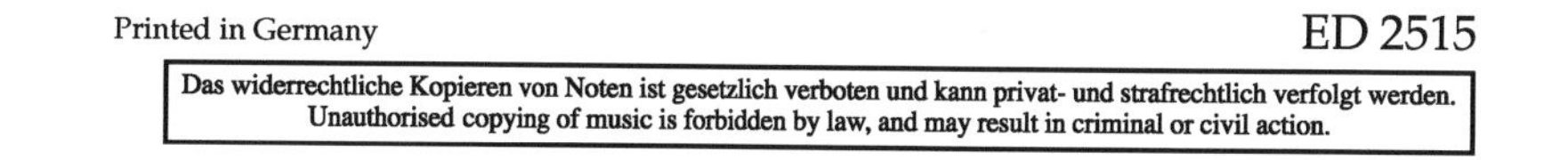

III
Lebhaft
ff
f

ritard.

Langsam

IV
Choral „Für deinen Thron tret ich hiermit“
Sehr langsam
p

mf

f
pp

Viola principale

Trauermusik

Music of Mourning

Paul Hindemith

Printed in Germany

ED 2515

III Lebhaft

IV Choral „Für deinen Thron tret ich hiermit"

Langsamer
3
3
p
dim.
pp

II Ruhig bewegt
p
p

mf
mp

mp
p
f hervor
4
p

III Lebhaft

IV Choral „Für deinen Thron tret ich hiermit“

Sehr langsam